Dirección editorial: Silvia Lanteri
Dirección literaria: Cecilia Repetti

Coordinación gráfica: Vanesa Chulak
Responsable de Corrección: Patricia Motto Rouco
Jefe de Operaciones: Gustavo Becker
Responsable de Preimpresión: Sandra Reina

Av. Callao 410, 2º piso
C1022AAR Ciudad de Buenos Aires

Primera edición: abril de 2002
Primera reimpresión: octubre de 2003
Segunda edición: agosto de 2004
Primera reimpresión: enero de 2005
Segunda reimpresión: septiembre de 2005
Tercera reimpresión: septiembre de 2006
Cuarta reimpresión: abril de 2007
Quinta reimpresión: abril de 2008
Sexta reimpresión: junio de 2010
Séptima reimpresión: julio de 2011
Octava reimpresión: abril de 2012
Novena reimpresión: agosto de 2013
Décima reimpresión: julio de 2014
Undécima reimpresión: mayo de 2015

ISBN 978-987-1098-98-9
Hecho el depósito que establece la ley 11.723
Impreso en la Argentina / *Printed in Argentina*

Basch, Adela
Una luna junto a la laguna - 2ª ed., 11ª reimp. -
Buenos Aires : SM, 2015.

64 p. : il. ; 19x12 cm. - (El Barco de Vapor. Serie Blanca; 3)

ISBN 978-987-1098-98-9

1. Literatura Infantil y Juvenil Argentina. I. Título
CDD A863.928 2

Adela Basch

Una luna junto a la laguna

Ilustraciones de Alberto Pez

Una mañana nació una rana.

Era una ranita, muy, muy, pero muy chiquita. Y no sabía nada de nada del mundo que la rodeaba.

Su familia le empezó a enseñar cómo era el lugar donde vivía y ella fue aprendiendo algo nuevo todos los días.

Al principio miraba con ojos
de quien se sorprende,
mientras escuchaba decir: “El cielo
es azul y el pasto es verde”.

Le decía su madre: “Primero viene la mañana y después la tarde”.

Le decía su padre: “Es normal que un gato maúlle y que un perro ladre”.

Le decía su abuela: "Las ranas saltan y los mosquitos vuelan".

Le decía su abuelo: "Todo lo que nace y crece, también envejece".

Le decía su tío: "En verano hace calor y en invierno hace frío".

Le decía su tía: "Pequeña es la cereza y grande es la sandía".

Y así fue aprendiendo los nombres y las formas de las cosas y a distinguir una mosca de una mariposa.

Supo distinguir el gusto del azúcar y la miel, y aprendió a navegar en barcos de papel.

Una noche miró por primera vez el cielo y escuchó decir a su abuelo:

"Eso que está ahí es la luna. Mirala bien, porque hay solo una".

La rana la miró y vio
que la luna era así:

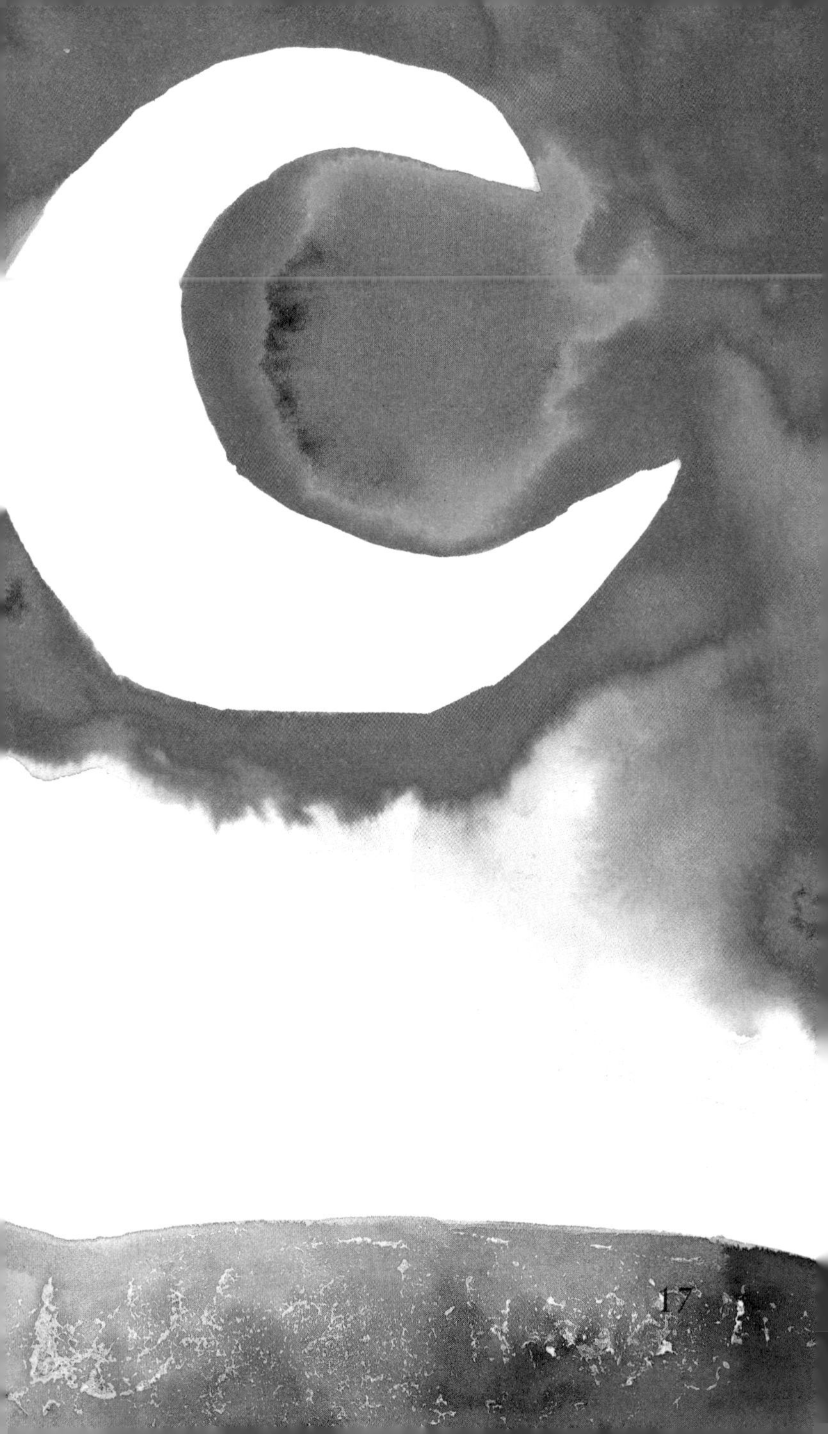

Entonces se dijo: "Ahora ya conozco también las cosas de la noche y no solo las del día. Ya tengo mucha sabiduría".

Y la rana pensó que sabía todo lo que necesitaba y ya no tuvo ningún otro deseo de seguir aprendiendo algo nuevo.

Cerca de donde una mañana
había nacido la rana,
al rato nació también un gato.

Al principio era un gatito muy, muy,
pero muy chiquito. Tenía los ojos
cerrados y no sabía diferenciar
una pelota de un pescado.

Pero apenas abrió los ojos,
aprendió que la leche
es blanca y el tomate es rojo.
Miraba todo muy sorprendido,
mientras escuchaba hablar
a sus padres, sus hermanos
y sus tíos.

Le decía su mamá: "La tierra está acá y el cielo está allá".

Le decía su papá: "Cuando la noche se acerca, el día se va".

Le decía su hermana: “Esto es
una naranja y esto es una manzana”.

Le decía su hermano: "Esto es un ratón y esto es un gusano".

Le decía su tía: "La lágrima es tristeza
y la risa es alegría".

Le decía su tío: "El agua está
en la lluvia, en el mar y en el río".

El gato fue aprendiendo los nombres y las formas de las cosas y a distinguir una zanahoria de una rosa.

Una noche miró por primera vez hacia arriba y escuchó decir a su tía:

“Ahí está la luna. Mirala bien, porque hay solo una”.

El gato la miró y vio
que la luna era así:

Entonces se dijo: "Ahora ya conozco también las cosas de la noche y no solo las del día. Ya tengo mucha sabiduría".

Y el gato pensó que sabía todo lo que necesitaba y ya no tuvo ningún otro deseo de seguir aprendiendo algo nuevo.

Cerca de donde una mañana había nacido la rana y donde al rato había nacido el gato, nació también una paloma, justo en lo alto de una loma.

Al principio era una palomita muy, pero muy chiquita. Miraba todo muy sorprendida porque no sabía nada de las cosas de la vida.

Poco a poco empezó a aprender de las demás palomas y supo que cuando el día empieza, el sol se asoma.

Le decía su madre: "El agua moja
y el fuego arde".
Le decía su padre: "Todos
los pichones nacen de una madre".

Le decía su abuela: "Amarilla es la banana y roja, la ciruela".

Le decía su hermana: "Este es un árbol y esta es una rama".

Le decía su tía: “Tus plumas
y tus alas son como las mías”.

Le decía su prima: “El camino
empieza donde el nido termina”.

La paloma fue aprendiendo
los nombres y las formas
de las cosas, y a diferenciar
una abeja de una osa.

Una noche miró por primera vez el cielo estrellado y escuchó decir a su hermano:

"Ahí en el cielo está la luna. Miralo bien, porque hay solo una".

La paloma la miró y vio
que la luna era así:

Entonces se dijo: “Ahora ya conozco también las cosas de la noche y no solo las del día. Ya tengo mucha sabiduría”.

Y la paloma pensó que sabía todo lo que necesitaba y ya no tuvo ningún otro deseo de seguir aprendiendo algo nuevo.

Un día,
la rana que había nacido una mañana,
el gato que había nacido al rato
y la paloma que había nacido
en una loma
se encontraron cerca de un río
y se hicieron muy amigos.
Compartieron paseos
y conversaciones, juegos y canciones.

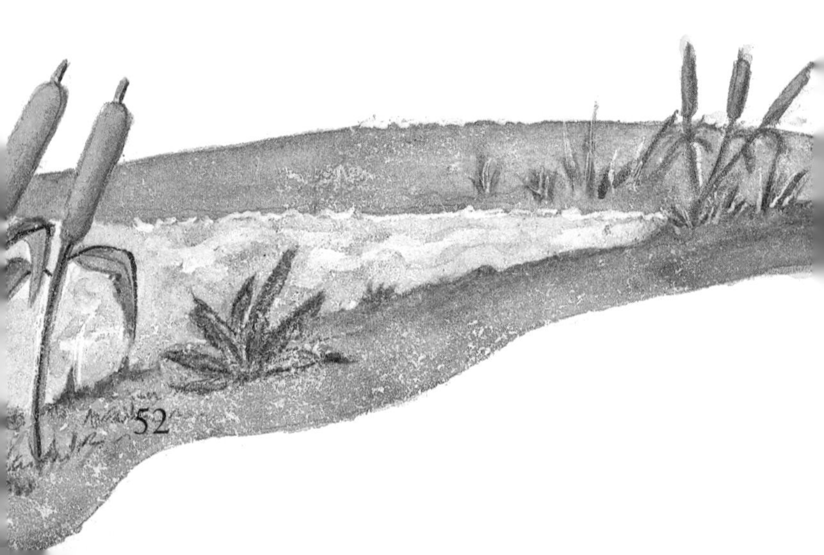

Cuando llegó el verano, decidieron pasar un tiempo juntos cerca de una laguna.

Una tarde, la rana hizo en la tierra un dibujo así, y dijo:

—Es la luna. Hay solo una.

Enseguida, el gato también dibujó una figura así, y dijo:

—Esta es la luna. Hay solo una.

Y la paloma hizo un dibujo así, y dijo:

—Esta es la luna. Hay solo una.

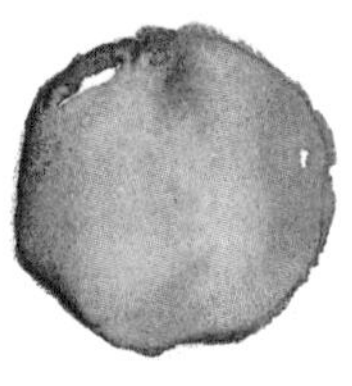

Entonces, empezó
una conversación que no fue broma
entre la rana, el gato y la paloma.

Hubo momentos en que los tres
hablaban y hablaban a la vez.

Y cada uno decía que la luna era
como él o ella la veía.

Mientras conversaban cerca
de la laguna, algunas noches
apareció la luna.

Y después de observar el cielo
durante un mes,
de la noche a la mañana,
se pusieron de acuerdo la paloma,
el gato y la rana.

—Sí, la luna es solo una. Pero, aunque parezca una cosa rara, tiene diferentes caras.

—La luna es como yo la dibujé, pero también es de otra manera.

—Tiene diferentes formas
y todas son verdaderas.

—Sí.

—Es cierto.

Y la rana que había nacido una mañana,
el gato que había aparecido al rato
y la paloma que vivía en una loma
se sintieron tan contentos,
que entre los tres
me contaron este cuento.

Se terminó de imprimir en mayo de 2015
en Casano Gráfica S.A.,
Provincia de Buenos Aires.